姜小牙上学记

好朋友争夺战

北猫 著

北方联合出版传媒(集团)股份有限公司

春风文艺出版社

·沈 阳·

米小圈：外表调皮，内心善良，爱耍小聪明，却总是把自己搞得很倒霉。

善小牙：富家子弟，喜欢花钱，喜欢请客。最大的烦恼就是牙太大了，同学们都笑话他。

魏老师：脾气暴躁，教学严谨，同学们都很怕她。但一切都是为了学生好，所谓严师出高徒嘛。

郝静：真是一个"好静"的女孩儿，胆小害羞，最讨厌的就是说话。

小牙爸爸：宇宙环球国际大牙集团董事长，超级有钱，也超级忙。

小牙妈妈：爱美的时尚辣妈，开了一家美容院。最大的遗憾就是没有时间陪儿子。

莫老师：貌美如花、和蔼可亲的年轻女教师。她的课总是很有趣，同学们都很喜欢她。

© 北 猫 2015

图书在版编目（CIP）数据

姜小牙上学记. 好朋友争夺战 / 北猫著. — 沈阳：
春风文艺出版社，2015. 1
（七色狐注音读物）
ISBN 978 - 7 - 5313 - 4737 - 8

Ⅰ. ①姜… Ⅱ. ①北… Ⅲ. ①汉语拼音 — 儿童读物
Ⅳ. ①H125.4

中国版本图书馆CIP数据核字（2014）第289886号

北方联合出版传媒（集团）股份有限公司
春风文艺出版社出版发行
http://www. chinachunfeng. net
（沈阳市和平区十一纬路25号　邮编：110003）
辽宁一诺广告印务有限公司印刷

责任编辑	刘晓欢　朱立红	责任校对	赵丹彤
绘　　画	常　耕	印制统筹	刘　成
装帧设计	宸宸卡通工作室	幅面尺寸	180mm×210mm
字　　数	92千字	印　　张	5.5
版　　次	2015年1月第1版	印　　次	2015年1月第1次
书　　号	ISBN 978-7-5313-4737-8	定　　价	19.00元

常年法律顾问：陈光　版权专有　侵权必究　举报电话：024-23284391
如有质量问题，请与印刷厂联系调换　联系电话：024-24859633

目录

好玩的新同学

11月3日　星期一

上课的铃声响了，可我们的班主任魏老师却迟迟没有来。大家一直觉得老师没来就等于没有开始上课，所以同学们依然在玩闹着。

这时，班长李黎走上讲台，对大家说："同学们，安静一下，虽然老师还没有来，可是现在已经上课了。米小圈，你听见没有？"

此刻，米小圈正在偷偷看漫画书呢。

米小圈站起来气呼呼地说："李黎，我根本就没说话，你怎么老是找我的碴儿。"

李黎说："你虽然没说话，但上课不许看漫画书你难道不知道吗？"

米小圈说："老师还没有来，怎么能算上课呢？"

这时，门开了，魏老师走了进来。

米小圈一看见魏老师来了，马上改口说道："同学们，老师来了，我们不应该再看漫画书了。"

呵呵呵，这个米小圈变得可真快。

上课不许看漫画书!

哼!老师没来就不算上课。

谁说我没来。

wèi lǎo shī zǒu shàng jiǎng tái   shuō   tóng xué men   wǒ zhī
魏老师走上讲台,说:"同学们,我之

suǒ yǐ chí dào shì yīn wèi zán men bān lái le yí wèi xīn tóng xué
所以迟到是因为咱们班来了一位新同学。"

xīn tóng xué   shì nán shēng hái shi nǔ shēng ne   tóng
"新同学?是男生还是女生呢?"同

xué men dōu hěn hào qí
学们都很好奇。

wèi lǎo shī shuō   ràng wǒ men yòng rè liè de zhǎng shēng
魏老师说:"让我们用热烈的掌声

huān yíng tā
欢迎他。"

dà jiā xiàng mén kǒu kàn qù   yí gè tóu hěn dà de nán
大家向门口看去,一个头很大的男

shēng bēi zhe yí gè shuò dà de shū bāo zǒu le jìn lái
生背着一个硕大的书包走了进来。

003

zhè shí　　mǐ xiǎo quān zhǐ zhe xīn tóng xué dà hǎn dào

这时，米小圈指着新同学大喊道：

tiě tóu

"铁头！"

tóng xué men yì tīng　tiě tóu　　èr zì　　hā hā dà xiào

同学们一听"铁头"二字，哈哈大笑

qǐ lái

起来。

wèi lǎo shī shēng qì de shuō　　mǐ xiǎo quān　　bù xǔ gěi

魏老师生气地说："米小圈，不许给

xīn tóng xué qǐ wài hào　　tā jiào xíng tiě　bú jiào tiě tóu

新同学起外号。他叫邢铁，不叫铁头。"

zhè wèi xīn tóng xué què shuō　　lǎo shī lǎo shī　　xíng tiě shì

这位新同学却说："老师老师，邢铁是

wǒ　　tiě tóu yě shì wǒ

我，铁头也是我。"

我叫邢铁，人送外号铁头！

是我给他起的外号，不错吧。

哈哈哈，笑死我了。换作其他同学被

起外号，一定都气炸了，这个铁头却很高

兴。他可真有意思。

同学们笑完之后，魏老师准备给铁

头安排一个座位，可是只有最后一排有

空座。

这时，我把手举了起来："老师，让铁

头同学坐在我这儿吧，我去坐最后一排。"

魏老师生气地说："姜小牙，不许叫

同学的外号。"

铁头满不在乎地说："老师，没事的，

我觉得铁头这个外号很酷。"

魏老师严厉地说："那也不行，在我的

bān jí bù xǔ gěi tóng xué qǐ wài hào　gèng bù xǔ jiào tóng xué de
班级不许给同学起外号，更不许叫同学的

wài hào
外号。"

　　wǒ gǎn kuài chéng rèn cuò wù　　ò　lǎo shī　wǒ zài yě
　　我赶快承认错误："哦，老师，我再也

bú jiào bié rén de wài hào le　ràng xíng tiě tóng xué zuò zài wǒ zhè
不叫别人的外号了，让邢铁同学坐在我这

lǐ ba　wǒ dào hòu miàn qù zuò
里吧，我到后面去坐。"

　　wèi lǎo shī tóng yì le　bìng qiě biǎo yáng dào　jiāng xiǎo
　　魏老师同意了，并且表扬道："姜小

yá　nǐ cóng shān qū huí lái hòu biàn de dǒng shì duō le　xíng
牙，你从山区回来后变得懂事多了。邢

tiě　nǐ jiù zuò zài jiāng xiǎo yá de wèi zhì ba
铁，你就坐在姜小牙的位置吧。"

姜小牙，你可真懂事。

我坐在后面就可以偷偷看漫画书啦。

下课的时候，铁头走到我面前对我说道："谢谢你把座位让给我，这个雪饼送给你吃。"

我接过铁头的雪饼开开心心地吃了起来。

铁头问："对了，我还不知道你叫什么名字呢。"

我回答："我叫姜小牙。"

铁头笑着说："哈哈，你的名字和米小圈的名字一样好玩。"

我说："铁头，既然你是米小圈的好朋友，我也是米小圈的好朋友，不如我们也做好朋友好不好？"

铁头犹豫了一下，为难地说："可以是可以，但是我发过誓，米小圈是我最好的朋友，所以你只能做我第二好的朋友了。"

啊？好朋友也要像考试一样，分出第一名和第二名啊？

这时，米小圈走了过来，拍着铁头的肩膀说："没错！幼儿园时，我就是铁头第一好的朋友了。"

铁头补充道："是呀，那时米小圈总被女生欺负，每次都是我帮他的。"

米小圈赶快捂住铁头的嘴："好啦，铁头，不要说了，我请你去吃冰激凌。"

tài hǎo la　　chī bīng jī líng qù lou　　　tiě tóu bèng bèng
　　"太好啦，吃冰激凌去喽！"铁头蹦蹦
tiào tiào de hé mǐ xiǎo quān zǒu le
跳跳地和米小圈走了。

　　mǐ xiǎo quān qǐng chī bīng jī líng jū rán bú jiào shàng wǒ
　　米小圈请吃冰激凌居然不叫上我，
wū wū　　kàn lái wǒ zhēn de bú shì tā zuì hǎo de péng you
呜呜，看来我真的不是他最好的朋友。

一起玩滑板

11月4日　星期二

自从铁头来了，米小圈对我就变得不冷不热的。看来，在米小圈心目中，铁头才是他最好的朋友，我只是一个普通朋友而已。

今天一大早，米小圈和铁头来到班级，米小圈站在铁头旁边说说笑笑。可在铁头来之前，每天早上米小圈都会站在我旁边说笑的。

我赶紧走了过去："米小圈，铁头，时间还早呢，我们一起去操场上踢足球怎么样？"

铁头高兴地说："好哇！好哇！"

米小圈却说："好什么呀，铁头，你昨晚的作业还没写呢，还不赶紧补上。要是被魏老师知道了，她是不会放过你的。"

"哦！"铁头赶快打开书包，写起了作业。

你居然不写作业！

老师，息怒哇！

对不起，我忘记了。

我对米小圈说："既然铁头要写作业，米小圈，我们俩去操场踢足球好不好？"

米小圈最喜欢踢足球了，可是这一次他却无情地拒绝了我："不行，我得监督铁头写作业。"

唉，我只好抱着足球独自一人跑到操场上。一个人踢足球真是一点儿意思都没有。

这时，我做出了一个重大的决定——我要把铁头从米小圈身边夺过来。

放学了，米小圈对铁头说："铁头，我们一起去踢毽子好不好？"

tiě tóu gāo xìng de shuō hǎo wa hǎo wa
铁头高兴地说:"好哇! 好哇!"

wǒ gǎn jǐn pǎo huí jiā ná lái le bà ba xīn gěi wǒ mǎi
我赶紧跑回家,拿来了爸爸新给我买

de huá bǎn
的滑板。

wǒ dēng zhe huá bǎn lái dào mǐ xiǎo quān hé tiě tóu shēn
我蹬着滑板来到米小圈和铁头身

biān shuō dào mǐ xiǎo quān tiě tóu nǐ men kàn wǒ bà
边,说道:"米小圈,铁头,你们看,我爸

ba xīn gěi wǒ mǎi de huá bǎn wǒ men yì qǐ wán huá bǎn hǎo
爸新给我买的滑板,我们一起玩滑板好

bù hǎo
不好?"

tiě tóu hái shi gāo xìng de shuō hǎo wa hǎo wa
铁头还是高兴地说:"好哇! 好哇!"

mǐ xiǎo quān què shuō　　huá bǎn yǒu shén me hǎo wán de
米 小 圈 却 说 :" 滑 板 有 什 么 好 玩 的 ,

tiě tóu　　wǒ men jiē zhe tī jiàn zi ba
铁 头 , 我 们 接 着 踢 毽 子 吧 。"

tiě tóu liàn liàn bù shě de kàn zhe huá bǎn　　dàn méi yǒu
铁 头 恋 恋 不 舍 地 看 着 滑 板 , 但 没 有

bàn fǎ　　shéi ràng mǐ xiǎo quān cái shì tā zuì hǎo de péng you
办 法 , 谁 让 米 小 圈 才 是 他 最 好 的 朋 友

ne
呢 。

hng　　wǒ yì cāi mǐ xiǎo quān jiù bú huì tóng yì　　yú shì
哼 ! 我 一 猜 米 小 圈 就 不 会 同 意 , 于 是

wǒ rào zhe tiě tóu huá lái huá qù
我 绕 着 铁 头 滑 来 滑 去 。

tiě tóu biān tī jiàn zi biān kàn wǒ wán huá bǎn　　tā hái shi
铁 头 边 踢 毽 子 边 看 我 玩 滑 板 , 他 还 是

米小圈,我们也去玩滑板吧。

不!绝对不行!

觉得滑板比踢毽子好玩。于是他抛下米小圈，跑过来跟我玩滑板了。哈哈，我成功啦！

不一会儿，米小圈也跑了过来。

米小圈笑嘻嘻地说："姜小牙，带我一个呗，我们一起玩滑板好不好？"

我拒绝了米小圈。

我和铁头玩起了滑板，米小圈眼巴巴地看着我们。

铁头可真笨哪，好几次都从滑板上摔下来。

铁头说："这是我第一次玩滑板，可真好玩！"

wǒ shuō　　　tiě tóu　　　zhǐ yào nǐ hé wǒ zuò zuì hǎo de péng
我 说 :" 铁 头 , 只 要 你 和 我 做 最 好 的 朋

you　　wǒ měi tiān dōu bǎ huá bǎn jiè gěi nǐ
友 , 我 每 天 都 把 滑 板 借 给 你 。"

tiě tóu shuō　　　zhēn de　　　tài hǎo le
铁 头 说 :" 真 的 ? 太 好 了 !"

016

不理米小圈

11月5日 星期三

jīn tiān zǎo shang　　wǒ mā ma zuò le wǒ zuì ài chī de dàn
今天早上，我妈妈做了我最爱吃的蛋

tà　hái tè yì duō zuò le　yì xiē sòng gěi wǒ de hǎo péng you mǐ
挞，还特意多做了一些送给我的好朋友米

xiǎo quān hé tiě tóu
小圈和铁头。

wǒ gào su mā ma　　wǒ bù xiǎng gēn mǐ xiǎo quān zuò hǎo
我告诉妈妈，我不想跟米小圈做好

péng you le　　　tā tài zì sī le　　bú ràng tiě tóu gēn wǒ
朋友了——他太自私了，不让铁头跟我

wán　suǒ yǐ　wǒ zhǐ xiǎng bǎ dàn tà gěi tiě tóu chī
玩。所以，我只想把蛋挞给铁头吃。

mā ma bù tóng yì wǒ de shuō fǎ　　jiāng xiǎo yá
妈妈不同意我的说法："姜小牙，

nǐ gāng gāng rèn shi mǐ xiǎo quān de shí hou　nǐ shì zěn me
你刚刚认识米小圈的时候，你是怎么

017

^{shuō de}
说 的 ？ ”

^{wǒ shuō　tā shì wǒ zhè bèi zi dì yī gè hǎo péng you}
“我 说，他 是 我 这 辈 子 第 一 个 好 朋 友，

^{wǒ yí dìng huì duì tā fēi cháng fēi cháng hǎo}
我 一 定 会 对 他 非 常 非 常 好。”

^{duì ya　suǒ yǐ nǐ de dàn tà yě yào fēn gěi tā}
“对 呀！所 以 你 的 蛋 挞 也 要 分 给 他。”

^{wǒ jué de mā ma shuō de yǒu dào lǐ　rú guǒ wǒ néng}
我 觉 得 妈 妈 说 得 有 道 理，如 果 我 能

^{gēn mǐ xiǎo quān hé hǎo　nà wǒ jiù yǒu liǎng gè zuì hǎo de péng}
跟 米 小 圈 和 好，那 我 就 有 两 个 最 好 的 朋

^{you le}
友 了。

^{wǒ dài zhe mā ma zuò de dàn tà　xiàng xué xiào zǒu qù}
我 带 着 妈 妈 做 的 蛋 挞，向 学 校 走 去。

正巧在学校门口碰见了米小圈和铁头。

我喊道:"米小圈,铁头,等一等我。"

可是铁头一见到我,撒腿就跑。

呜呜,昨天还说要做最好的朋友,今天怎么就不认账了?

我赶紧追上去,一把拽住了铁头:"铁头,你怎么一见到我就跑了呢?我们不是最好的朋友吗?"

米小圈说:"我才是铁头最好的朋友,你是第二好的朋友。"

铁头挠了挠头,说:"姜小牙,对不

起，我收了米小圈半块香味橡皮。我答
应他以后不跟你一起玩了。"

这半块橡皮送给你，以后不许跟姜小牙一起玩。

怎么才半块呀？

我生气地说："哼！米小圈，你真不
够意思。本来我妈妈做了两份蛋挞，要我
送给你们的。"

米小圈一听到"蛋挞"二字，立马露出
笑容："蛋挞？姜小牙，你太够朋友了，快
给我们尝尝！"

我生气地说："可是，我现在改主意了，不给你了。"

铁头问道："那给我吗？"

"那就看你的表现了。"

铁头说："姜小牙，我跟你玩，不跟米小圈玩了，能给我吃点儿吗？"

"当然可以。"我把一份蛋挞送给铁头，我自己也吃了一份。

我最好的朋友姜小牙，我错了。

哼！

tiě tóu zhēn shì shuō dào zuò dào   jīn tiān yì zhěng tiān tā
铁头真是说到做到，今天一整天他
dōu méi yǒu gēn mǐ xiǎo quān yì qǐ wán
都没有跟米小圈一起玩。

fàng xué de shí hou   wǒ yāo qǐng tiě tóu qù wǒ jiā wán
放学的时候，我邀请铁头去我家玩，
tā hěn gāo xìng de dā ying le
他很高兴地答应了。

米小圈却一个人灰溜溜地回家了。米小圈终于尝到了被人冷落的滋味。

铁头说："要是米小圈也能跟我们一起玩该多好哇。"

要知道米小圈可是我遇见的第一个好朋友哇，我怎么会不愿意跟他一起玩呢，可是米小圈总是想独自占有铁头。

我对铁头说："铁头，你想不想让我们三个成为最好的朋友？"

铁头说："当然想啊。"

我说："我现在有个办法可以让米小圈和咱们一起玩。"

zhēn de　　shén me bàn fǎ
"真的？什么办法？"

zhè ge bàn fǎ jiào zuò chéng fá mǐ xiǎo quān
"这个办法叫作惩罚米小圈。"

néng xíng ma
"能行吗？"

jué duì méi wèn tí　xiāng xìn wǒ méi cuò de
"绝对没问题，相信我没错的。"

好朋友三人组

11月6日　星期四

今天是我上小学以来起得最早的一天。因为我和好朋友铁头约定，要去他家找他一起上学。

铁头家可真远哪，我足足走了半个小时才到达铁头家。

铁头妈妈很热情地把我请进家里，还请我吃了煮玉米呢。

铁头告诉我，刚才米小圈也来找他

le　dàn shì　àn zhào zhī qián de　mì　mì yuē dìng　　tiě tóu jù jué
了，但是按照之前的秘密约定，铁头拒绝
le　mǐ xiǎo quān　　mǐ xiǎo quān hěn shāng xīn de zǒu le
了米小圈。米小圈很伤心地走了。

tiě tóu jué de hěn duì bu qǐ mǐ xiǎo quān　　yào zhī dào tā
铁头觉得很对不起米小圈。要知道他
kě shì tiě tóu zài yòu ér yuán shí zuì hǎo de péng you wa　　kě shì
可是铁头在幼儿园时最好的朋友哇。可是

wǒ yòu hé cháng bú shì ne
我又何尝不是呢？

wǒ shàng yòu ér yuán de shí hou　cóng lái jiù méi yǒu rén
我上幼儿园的时候，从来就没有人

yuàn yì gēn wǒ zuò péng you　mǐ xiǎo quān shì dì yī gè zhǔ dòng
愿意跟我做朋友，米小圈是第一个主动

tí chū gēn wǒ zuò péng you de rén
提出跟我做朋友的人。

wǒ shuō　tiě tóu　wǒ yě bù xiǎng mǐ xiǎo quān shāng xīn
我说："铁头，我也不想米小圈伤心，

dàn wǒ men bì xū ràng mǐ xiǎo quān zhī dào zì jǐ de cuò wù cái xíng
但我们必须让米小圈知道自己的错误才行。"

tiě tóu shuō　shuō de yě shì　wǒ měi tiān bèi nǐ liǎ
铁头说："说的也是，我每天被你俩

zhēng lái zhēng qù de　hǎo fán na
争来争去的，好烦哪！"

"所以，我们到学校以后，坚决不能理睬他。"

"好吧，也只能这样了。"

我和铁头一边玩一边向学校走去。

米小圈正在教室里坐着，闷闷不乐的。

我故意搂着铁头的肩膀说："铁头，你妈妈做的煮玉米真好吃。明天早上我还去吃行不行？"

铁头说："没问题，谁让你是我最好的朋友呢。"

我接着说："周末你去我家里玩，我家里有好多零食呢。"

铁头说:"太好啦,我最喜欢吃零食了!"

米小圈终于忍不住了,走了过来。

米小圈对我们说:"对不起,姜小牙,是我不好,我妈妈已经批评我了,我想和你们做好朋友,行吗?"

我问道:"那谁才是铁头最好的朋友呢?谁是第二好的朋友?"

米小圈说:"你是铁头最好的朋友,我是第二好的朋友。"

我说:"不!我们都是铁头最好的朋友,从今天开始我们就是好朋友三人组了。"

^{tiě tóu gāo xìng de tiào le qǐ lái　　tài hǎo le　　tài hǎo}
铁头高兴得跳了起来："太好了，太好

^{le　wǒ men shì hǎo péng you sān rén zǔ}
了，我们是好朋友三人组！"

^{mǐ xiǎo quān huài xiào zhe shuō　　　jì rán wǒ men dōu shì}
米小圈坏笑着说："既然我们都是

^{hǎo péng you le　　ér qiě shì zuì hǎo de hǎo péng you　　nà jiāng}
好朋友了，而且是最好的好朋友，那姜

^{xiǎo yá　　nǐ mā ma zuò de dàn tà néng bù néng gěi wǒ chī}
小牙，你妈妈做的蛋挞能不能给我吃

^{diǎn er ne}
点儿呢？"

^{wǒ shuǎng kuai de shuō　　méi wèn tí ya　　kě shì wǒ mā}
我爽快地说："没问题呀，可是我妈

^{ma jīn tiān méi yǒu zuò dàn tà}
妈今天没有做蛋挞。"

米小圈失望地说："那铁头，你妈妈做的煮玉米能不能给我吃点儿？"

铁头说："可以倒是可以，可是煮玉米都被我们吃光了。"

米小圈失望极了。

这时，铁头发现了米小圈兜里的彩虹糖，并把它抢了过来。

铁头乐呵呵地说："没有蛋挞和煮玉米，我们吃彩虹糖也不错呀。"

米小圈赶快说："不要，我就这么一包。"

"米小圈，你可真抠门儿。"

"对呀，我们可是好朋友哇。"

tiě tóu bǎ cǎi hóng táng dǎ kāi wǒ men liǎ chī le
铁头把彩虹糖打开，我们俩吃了

qǐ lái
起来。

铁头不见了

11月7日　星期五

jīn tiān　wǒ men hǎo péng you sān rén zǔ jué dìng zài tiě tóu
今天，我们好朋友三人组决定在铁头

jiā jí hé　yì qǐ qù shàng xué
家集合，一起去上学。

kě shì xué xiào lí wǒ jiā bǐ jiào jìn　wǒ jué de yīng gāi
可是学校离我家比较近，我觉得应该

zài wǒ jiā jí hé cái duì　zhè yàng wǒ jiù kě yǐ duō shuì yí huì
在我家集合才对，这样我就可以多睡一会

er le
儿了。

tiě tóu hé mǐ xiǎo quān dōu bù tóng yì　méi yǒu bàn fǎ
铁头和米小圈都不同意，没有办法，

yòu yào zǎo zǎo de qǐ chuáng le
又要早早地起床了。

kě wǒ jīn tiān qǐ chuáng de shí hou　mā ma yǐ jīng
可我今天起床的时候，妈妈已经

033

zǒu le
走了。

wǒ yí kàn biǎo dà hǎn dào bù hǎo la bù hǎo la
我一看表，大喊道：“不好啦！不好啦！”

wǒ gǎn kuài cóng chuáng shang tiào xià lái chuān shàng yī
我赶快从床上跳下来，穿上衣

fu xǐ liǎn shuā yá
服，洗脸刷牙。

wǒ men jiā de bǎo mǔ xiǎo cuì ā yí duān zhe zǎo cān zǒu le
我们家的保姆小翠阿姨端着早餐走了

guò lái jiāng xiǎo yá bú yòng zháo jí shí jiān hái lái de jí
过来：“姜小牙，不用着急，时间还来得及。”

wǒ jīn tiān hái yuē le tiě tóu hé mǐ xiǎo quān yì qǐ shàng
“我今天还约了铁头和米小圈一起上

xué ne wǒ lián zǎo cān dōu méi chī jiù pǎo chū jiā mén
学呢。”我连早餐都没吃就跑出家门。

qù wǎng tiě tóu jiā de lù shang jīng guò wǒ men xué xiào
去往铁头家的路上，经过我们学校，

wǒ zhēn xiǎng zhí jiē chōng jìn jiào shì zhè yàng wǒ jiù bú huì chí
我真想直接冲进教室，这样我就不会迟

dào le bú guò hǎo péng you de yuē dìng shì bù kě yǐ wéi bèi
到了。不过好朋友的约定是不可以违背

de wǒ fēi kuài de xiàng tiě tóu jiā pǎo qù
的，我飞快地向铁头家跑去。

wǒ pǎo dào tiě tóu jiā de shí hou mǐ xiǎo quān hé tiě tóu
我跑到铁头家的时候，米小圈和铁头

zhèng zài mén kǒu jiāo jí de děng dài
正 在 门 口 焦 急 地 等 待。

mǐ xiǎo quān mán yuàn dào　　jiāng xiǎo yá　　nǐ zěn me cái
米 小 圈 埋 怨 道：“姜 小 牙，你 怎 么 才

lái ya
来 呀？”

tiě tóu shuō　　　nǐ yào wǒ men děng dào tiān huāng dì lǎo
铁 头 说：“你 要 我 们 等 到 天 荒 地 老

ma
吗？”

wǒ shuō　　hǎo la　　bié mán yuàn le　　wǒ men gǎn kuài chū
我 说：“好 啦，别 埋 怨 了，我 们 赶 快 出

fā ba　　mǎ shàng jiù yào chí dào le
发 吧，马 上 就 要 迟 到 了。”

wǒ men hǎo péng you sān rén zǔ xiàng xué xiào pǎo qù
我 们 好 朋 友 三 人 组 向 学 校 跑 去。

结果可想而知，魏老师站在门口，气呼呼地等着我们。

魏老师一见到我们就批评道："姜小牙，米小圈，你们俩平时都是自己迟到，而这一次居然一起迟到。还有你，邢铁，你刚刚来到我们班，怎么就迟到了？"

铁头拍着胸脯说："老师，我们是好朋友三人组，要一起上学，就算迟到也要在一起。"

魏老师听完这话更生气了："你们怎么不一起好好学习呢？"

铁头又拍着胸脯说："老师，我们是好朋友三人组，我们一定会一起学习的，

jiù suàn bù jí gé yě yào yì qǐ bù jí gé
就 算 不 及 格 也 要 一 起 不 及 格。"

mǐ xiǎo quān shuō   tiě tóu   bì zuǐ
米 小 圈 说:"铁 头,闭 嘴!"

wèi lǎo shī chà diǎn er bèi tiě tóu de huà gěi qì yūn
魏 老 师 差 点 儿 被 铁 头 的 话 给 气 晕。

wǒ gǎn kuài shuō   lǎo shī   xī nù   wǒ men yí dìng huì
我 赶 快 说:"老 师,息 怒! 我 们 一 定 会

yì qǐ xué xí de   bú huì bù jí gé de
一 起 学 习 的,不 会 不 及 格 的。"

wèi lǎo shī zhè cái yuán liàng le wǒ men
魏 老 师 这 才 原 谅 了 我 们。

wèi lǎo shī yāo qiú wǒ men yǐ hòu bù kě yǐ yì qǐ shàng
魏 老 师 要 求 我 们 以 后 不 可 以 一 起 上

xué   zì jǐ zǒu zì jǐ de
学,自 己 走 自 己 的。

我爸爸曾经说过鸡蛋不可以都放在同一个篮子里，如果摔倒了，一篮子的鸡蛋就都碎了。我猜魏老师就是这个意思吧。

我们好朋友三人组，第一次集体上学以失败告终。

第二节是莫老师的语文课，更可怕的事情发生了，铁头他竟然失踪了。已经上了五分钟的课，我们才发现，铁头没有坐在自己的座位上。

莫老师说："会不会是邢铁贪玩，逃课了？"

我赶紧说："不可能，我们是好朋友三人组，如果铁头想逃课，一定会叫上我

men de
们 的。”

mǐ xiǎo quān jiē zhe shuō   méi cuò   ér qiě tiě tóu yě bú
米 小 圈 接 着 说 :“ 没 错 ， 而 且 铁 头 也 不

shì zhè yàng de rén na
是 这 样 的 人 哪 。”

dà jiā dōu hěn hào qí   tiě tóu dào dǐ qù nǎ er le ne
大 家 都 很 好 奇 ， 铁 头 到 底 去 哪 儿 了 呢 ？

mò lǎo shī hěn wèi tiě tóu dān xīn   pà tā chū shén me yì
莫 老 师 很 为 铁 头 担 心 ， 怕 他 出 什 么 意

wài   yú shì mò lǎo shī jué dìng bǎ zhè táng yǔ wén kè gǎi chéng xún
外 ， 于 是 莫 老 师 决 定 把 这 堂 语 文 课 改 成 寻

zhǎo tiě tóu kè
找 铁 头 课 。

quán bān tóng xué jí tǐ chū dòng   zài xué xiào li xún zhǎo
全 班 同 学 集 体 出 动 ， 在 学 校 里 寻 找

tiě tóu
铁头。

　　wǒ hé mǐ xiǎo quān gāng zǒu chū bān jí　　jiù fā xiàn tiě tóu
　　我 和 米 小 圈 刚 走 出 班 级 ，就 发 现 铁 头

wǔ zhe liǎn　　cóng yī nián sì bān de jiào shì li chōng chū lái　　sì
捂 着 脸 ，从 一 年 四 班 的 教 室 里 冲 出 来 ，四

bān de jiào shì li xiào chéng le　yì guō zhōu
班 的 教 室 里 笑 成 了 一 锅 粥 。

　　hā hā hā　　yuán lái tiě tóu shàng wán cè suǒ hòu　　zǒu cuò
　　哈 哈 哈 ，原 来 铁 头 上 完 厕 所 后 ，走 错

le jiào shì　　zài yī nián sì bān shàng le　yí huì er kè cái fā
了 教 室 ，在 一 年 四 班 上 了 一 会 儿 课 才 发

xiàn　méi yǒu yí gè tóng xué shì zì jǐ rèn shi de　　hā hā hā
现 ，没 有 一 个 同 学 是 自 己 认 识 的 。哈 哈 哈 ，

tiě tóu　　nǐ kě zhēn gǎo xiào
铁 头 ，你 可 真 搞 笑 ！

哈哈哈，他
走错教室了！

tiě tóu zhōng yú bèi wǒ men zhǎo dào le   dāng tóng xué men
铁 头 终 于 被 我 们 找 到 了 。 当 同 学 们

dé zhī tiě tóu zǒu cuò jiào shì hòu   xiào le zhěng zhěng yì jié
得 知 铁 头 走 错 教 室 后 ， 笑 了 整 整 一 节

kè   yǔ wén kè gǎi chéng le dà xiào kè   lián mò lǎo shī dōu xiào
课 。 语 文 课 改 成 了 大 笑 课 ， 连 莫 老 师 都 笑

de zhí bù qǐ yāo lái
得 直 不 起 腰 来 。

铁头很危险

11月9日 星期日

　　这个周末是我这辈子度过的最有趣的
一个周末。因为有两个好朋友陪我一起
玩耍。他们就是古灵精怪的米小圈和憨
厚可爱的铁头。

　　周日,我们好朋友三人组约定一起去
公园玩,谁要是迟到了谁就是小狗。

　　我和米小圈早早地来到了公园,铁头
却迟迟没有来。我们等啊盼哪,半个小时

hòu tiě tóu zhōng yú chū xiàn le
后铁头终于出现了。

wǒ gāng yào mán yuàn tiě tóu   tiě tóu jiù jiào dào   wāng
我刚要埋怨铁头，铁头就叫道："汪

wāng wāng   wāng wāng wāng
汪汪……汪汪汪。"

mǐ xiǎo quān wèn   tiě tóu   nǐ zài shuō shén me ya
米小圈问："铁头，你在说什么呀？"

tiě tóu yì běn zhèng jīng de shuō   nǐ men bú shì shuō chí
铁头一本正经地说："你们不是说迟

dào de rén yào dāng xiǎo gǒu ma   wǒ zhèng zài shuō   duì bu qǐ
到的人要当小狗吗？我正在说'对不起，

wǒ chí dào le
我迟到了'。"

hā hā hā   tiě tóu tài gǎo xiào le   wǒ hé mǐ xiǎo
哈哈哈……铁头太搞笑了，我和米小

043

圈乐得都直不起腰来了。看在铁头扮小狗

的分儿上，我们原谅了他。

好朋友三人组都已经到齐，接下来我

们要开始玩耍了。

我提议："不如我们去荡秋千吧？"

铁头说："好哇！好哇！"

米小圈反对说："公园里刚刚建成

一个旋转木马，比秋千好玩多了。"

铁头高兴地说："好哇！好哇！"

铁头这家伙，除了会说"好哇！好

哇！"就不会说点儿别的吗？一点儿自己

的主见都没有。

铁头说："我只是觉得两个都好玩，我

044

都想玩。不如你和米小圈猜拳吧，谁赢了听谁的。"

这个主意不错，石头、剪刀、布！哈哈，我赢了。我们好朋友三人组向秋千走去。

可是秋千已经被其他小孩儿霸占了，一个地方都没有。

这时，米小圈指着秋千说道："谁说没有，那边就有一个。"

一个小孩儿刚刚从秋千上下来，我们赶快向秋千冲去。

米小圈率先跑到秋千旁，坐了上去。

铁头说："米小圈，我也想荡秋千，我坐在你腿上怎么样？"

哈哈哈，铁头，亏你想得出来。

米小圈拒绝了铁头："绝对不行！铁头你太重了，万一绳子折了摔下来怎么办？"

铁头挠了挠头，失落地说："可是，我也想玩。"

我提议每个人玩一分钟，米小圈第一个玩，铁头第二个玩，我自己嘛，就第三个玩吧。

米小圈荡起了秋千，铁头在后面推他。一下，两下，三下，哇！秋千荡得好高哇！

米小圈高兴地喊道："荡秋千太好玩

^{le}
了！……"

huà yīn gāng luò　　mǐ xiǎo quān jiù cóng qiū qiān shang fēi le
话 音 刚 落，米 小 圈 就 从 秋 千 上 飞 了

chū qù　　shuāi zài le dì shang
出 去，摔 在 了 地 上。

āi yā　　bù hǎo
哎 呀！不 好！

hái hǎo mǐ xiǎo quān méi chū shén me shì zhǐ shì tóu shang
还好米小圈没出什么事，只是头上

zhǒng le yí gè dà bāo
肿了一个大包。

tiě tóu shuō mǐ xiǎo quān yì fēn zhōng dào le gāi wǒ
铁头说：“米小圈，一分钟到了，该我

dàng qiū qiān le nǐ lái tuī wǒ
荡秋千了，你来推我。”

mǐ xiǎo quān qì hū hū de shuō hǎo wǒ lái tuī nǐ
米小圈气呼呼地说：“好！我来推你。”

wǒ fā xiàn tiě tóu dǎn zi tài dà le nǐ gāng gāng bǎ mǐ
我发现铁头胆子太大了，你刚刚把米

xiǎo quān tuī fēi le hái gǎn ràng tā tuī nǐ
小圈推飞了，还敢让他推你？

wǒ gǎn kuài lán zhù mǐ xiǎo quān shuō dào mǐ xiǎo
我赶快拦住米小圈，说道：“米小

quān wǒ men bú dàng qiū qiān le wǒ men qù wán xuán zhuǎn mù
圈，我们不荡秋千了，我们去玩旋转木

mǎ ba
马吧。”

mǐ xiǎo quān shuō bù wǒ yào tuī wán tiě tóu zài wán
米小圈说：“不！我要推完铁头再玩

xuán zhuǎn mù mǎ
旋转木马。”

tiě tóu cóng qiū qiān shang tiào xià lái shuō mǐ xiǎo
铁头从秋千上跳下来，说：“米小

quān nǐ bú huì yě xiǎng bǎ wǒ tuī fēi le ba
圈，你不会也想把我推飞了吧？"

bú huì cái guài tiě tóu nǐ zhōng yú xiǎng míng bai le
不会才怪，铁头你终于想明白了。

jì rán zhè yàng de huà nà wǒ bù wán qiū qiān le wǒ
"既然这样的话，那我不玩秋千了，我

qù wán xuán zhuǎn mù mǎ shuō wán tiě tóu sā tuǐ jiù pǎo
去玩旋转木马。"说完，铁头撒腿就跑。

mǐ xiǎo quān zài hòu miàn biān zhuī biān hǎn tiě tóu nǐ
米小圈在后面边追边喊："铁头，你

gěi wǒ huí lái wǒ hái méi tuī nǐ ne
给我回来，我还没推你呢！"

快看！葫芦娃。

wǒ cāi yào bú shì tiě tóu shuō qǐng mǐ xiǎo quān zuò xuán
我猜，要不是铁头说请米小圈坐旋

zhuǎn mù mǎ mǐ xiǎo quān kěn dìng bú huì yuán liàng tā de
转木马，米小圈肯定不会原谅他的。

米小圈消了消气，说道："铁头，看在我们是好朋友的分儿上，我就原谅你了。拿钱来，我要坐旋转木马。"

铁头有点儿不情愿地从兜里掏出五元钱，递给米小圈。

"怎么才五元钱哪！"米小圈指着售票处上面的牌子说，"坐一次旋转木马要十五元才行。"

我从兜里掏出仅有的八元钱，递给米小圈。

米小圈说："这也不够哇。"

我说："米小圈你就没有带钱吗？"

铁头说："对呀，米小圈，你再掏出三

yuán qián jiù kě yǐ zuò yí cì xuán zhuǎn mù mǎ le
元 钱 就 可 以 坐 一 次 旋 转 木 马 了 。"

hē hē tiě tóu kě zhēn bèn
呵 呵 ，铁 头 可 真 笨 ，15 － 5 ＝ 10 ，10 － 8 ＝ 2 ，

mǐ xiǎo quān míng míng zài tāo chū liǎng yuán qián jiù kě yǐ zuò yí cì
米 小 圈 明 明 再 掏 出 两 元 钱 就 可 以 坐 一 次

mù mǎ le ma
木 马 了 嘛 。

mǐ xiǎo quān zài dōu li zhǎo le bàn tiān cái zhǎo dào le wǔ
米 小 圈 在 兜 里 找 了 半 天 ，才 找 到 了 五

máo qián
毛 钱 。

mǐ xiǎo quān shī wàng jí le
米 小 圈 失 望 极 了 。

tiě tóu shuō mǐ xiǎo quān gāng cái shì wǒ bù hǎo bù
铁 头 说 ："米 小 圈 ，刚 才 是 我 不 好 ，不

xiǎo xīn bǎ nǐ tuī fēi le wèi le mí bǔ wǒ de guò cuò wǒ
小 心 把 你 推 飞 了 。为 了 弥 补 我 的 过 错 ，我

lái dāng nǐ de mù mǎ zěn me yàng
来 当 你 的 木 马 怎 么 样 ？"

wǒ jué de xíng mǐ xiǎo quān yí xià zi gāo xìng qǐ
"我 觉 得 行 ！"米 小 圈 一 下 子 高 兴 起

lái tiào dào tiě tóu de bèi shang hā hā zhè hái chà bu
来 ，跳 到 铁 头 的 背 上 ，"哈 哈 ，这 还 差 不

duō mù mǎ kuài xuán zhuǎn na
多 。木 马 ，快 旋 转 哪 。"

铁头说："好的，我的主人。我要旋转了，我可是很快的哟。"

说完，铁头背着米小圈在原地快速打转，一圈，两圈，三圈。

常识告诉我们，我们人类长时间在原地转圈是会头晕的。不出意料，铁头才转了十圈就迷糊了，脚已经站不稳了。不好！铁头脚下一软，向后倒去，重重地摔在地上。

可他身后背着的米小圈怎么样了？

铁头迷迷糊糊地站了起来，发现自己一点儿事都没有。再看米小圈，他的脑袋上又多了一个大包。

<ruby>铁<rt>tiě</rt></ruby><ruby>头<rt>tóu</rt></ruby>，<ruby>你<rt>nǐ</rt></ruby><ruby>这<rt>zhè</rt></ruby><ruby>个<rt>ge</rt></ruby><ruby>旋<rt>xuán</rt></ruby><ruby>转<rt>zhuǎn</rt></ruby><ruby>木<rt>mù</rt></ruby><ruby>马<rt>mǎ</rt></ruby><ruby>绝<rt>jué</rt></ruby><ruby>对<rt>duì</rt></ruby><ruby>是<rt>shì</rt></ruby><ruby>不<rt>bù</rt></ruby><ruby>合<rt>hé</rt></ruby><ruby>格<rt>gé</rt></ruby><ruby>产<rt>chǎn</rt></ruby><ruby>品<rt>pǐn</rt></ruby>。<ruby>幸<rt>xìng</rt></ruby><ruby>好<rt>hǎo</rt></ruby><ruby>我<rt>wǒ</rt></ruby><ruby>没<rt>méi</rt></ruby><ruby>有<rt>yǒu</rt></ruby><ruby>坐<rt>zuò</rt></ruby>。

坏同桌

11月10日 星期一

今天，我来到教室时，发现米小圈头上的包已经消肿了，可是似乎米小圈的气还没有消。

米小圈说："姜小牙，我决定了，我只和你做朋友，不理铁头了。"

我赶快说："米小圈，别生铁头的气了，他也不是故意的呀。"

"哼！不行！我米小圈发誓，再也不

跟铁头一起玩了，否则让我考试不及格，
让我天天丢钱包……"

　　米小圈的话还没有说完，铁头就走了
过来。

　　"米小圈，我妈妈听说你受伤了，特
意让我带煮玉米给你吃。"

　　"煮玉米？快拿来给我尝尝。"

　　米小圈接过煮玉米，吃了起来："哈
哈，铁头，你妈妈做的煮玉米可真好吃。"

　　"米小圈，昨天的事真是对不起。"

　　"没什么啦，你又不是故意的。"

　　这个米小圈，变得可真快。刚刚才
发过誓，现在就不认账了。难道米小圈就

不怕自己考试不及格吗？哦，对了，就算不发誓米小圈也不一定能及格。难道他就不怕天天丢钱包吗？好吧，米小圈根本就没有钱包，怎么可能丢钱包呢？

铁头不光把煮玉米送给了受伤的米小圈，也送给了我。铁头真是太够意思了。

我们好朋友三人组刚刚吃完煮玉

mǐ kě pà de shì qing jiù fā shēng le
米，可怕的事情就发生了。

mǐ xiǎo quān de tóng zhuō lǐ lí yě jiù shì wǒ men bān de
米小圈的同桌李黎，也就是我们班的
nǚ bān zhǎng zǒu dào wǒ men miàn qián shuō nǐ men sān gè
女班长，走到我们面前，说："你们三个
kuài huí dào zuò wèi shang jiāo zuò yè le
快回到座位上，交作业了。"

tiě tóu dà hǎn dào shén me shàng zhōu mò liú zuò yè
铁头大喊道："什么？上周末留作业
le ma
了吗？"

wǒ hé mǐ xiǎo quān hù xiāng kàn le kàn duì fāng yù gǎn dào
我和米小圈互相看了看对方，预感到
yào yǒu bù hǎo de shì qing fā shēng tiě tóu nǐ bú huì shì
要有不好的事情发生。铁头，你不会是
guāng gù zhe wán wàng jì xiě zuò yè le ba
光顾着玩，忘记写作业了吧？

lǐ lí shuō dāng rán liú zuò yè le ér qiě hái hěn duō
李黎说："当然留作业了，而且还很多
ne
呢。"

méi cuò shàng zhōu mò de zuò yè kě duō le wǒ cóng
没错！上周末的作业可多了，我从
gōng yuán huí lái jiù yì zhí zài xiě xiě dào hěn wǎn ne
公园回来就一直在写，写到很晚呢。

　　铁头急了:"这可怎么办哪,早知道这么多作业我就不去公园玩了。"

　　铁面无私的李黎把铁头没写作业的事告诉给了班主任魏老师。

　　魏老师怒气冲冲地说:"邢铁,你才转学没几天就不写作业,以后怎么办?"

　　"老师,我错了。"铁头低下了他的大脑袋。

wèi lǎo shī shuō　　gào su wǒ nǐ bà ba de diàn huà hào
魏老师说："告诉我你爸爸的电话号

mǎ　wǒ yào gěi tā dǎ diàn huà
码，我要给他打电话。"

　　lǎo shī　bú yào wa　wǒ bà ba yào shi zhī dào wǒ méi
"老师，不要哇，我爸爸要是知道我没

xiě zuò yè　yí dìng bú huì fàng guò wǒ de
写作业，一定不会放过我的。"

　　zhè shí　mǐ xiǎo quān jǔ qǐ shǒu lái　bào gào lǎo
这时，米小圈举起手来："报告老

shī　shì qing qí shí shì zhè yàng de　zhōu mò de shí hou　tiě
师，事情其实是这样的，周末的时候，铁

tóu fā le gāo shāo　wǒ hé jiāng xiǎo yá qù kàn tā　tā de
头发了高烧，我和姜小牙去看他。他的

tóu tàng de dōu kě yǐ jiān jī dàn le　suǒ yǐ cái méi bàn fǎ xiě
头烫得都可以煎鸡蛋了，所以才没办法写

铁头的头好热呀。

铁头，我能用你的头煎个鸡蛋吗？

作业的。"

魏老师转身问道:"是这样吗,姜小牙?"

我赶快说:"没错!魏老师,铁头发烧可严重了,他都糊涂了,连1+1都不知道等于几了。"

"原来是这样啊,好吧,铁头,这一次老师就……"

就在这时,铁头的同桌郝静举起手来:"报告老师。"

魏老师把郝静叫了起来:"什么事?"

郝静低着头,说道:"他们说谎,铁头周末去公园玩了,根本没发烧。"

想不到哇想不到，我的旧同桌郝
静这么坏，一向不爱说话的她居然举报
我们。

你们不是好朋友三人组，是说谎三人组。

魏老师讨厌迟到的学生，更讨厌不写
作业的学生，不过最讨厌的就是说谎的
学生。

魏老师生气地说："米小圈，姜小
牙，也把你们爸爸的电话号码告诉我。"

wū wū　　wán dàn le
呜呜……完蛋了！

hǎo jìng　nǐ zhēn shì yí gè huài tóng zhuō
郝静，你真是一个坏同桌。

你是一个
坏同桌。

不说谎的约定

11月11日　星期二

zuó tiān wǎn shang　　kě pà de shì qing fā shēng le　　bān zhǔ
昨天晚上，可怕的事情发生了，班主

rèn wèi lǎo shī gěi wǒ bà ba dǎ le bàn gè xiǎo shí de diàn huà
任魏老师给我爸爸打了半个小时的电话。

suī rán wǒ bù zhī dào wèi lǎo shī shuō le shén me　　dàn wǒ cāi yí
虽然我不知道魏老师说了什么，但我猜一

dìng méi shǎo shuō wǒ de huài huà
定没少说我的坏话。

　　bà ba guà diào wèi lǎo shī de diàn huà zǒu dào wǒ miàn qián
　　爸爸挂掉魏老师的电话走到我面前，

shuō　　xiǎo yá　　nǐ men wèi lǎo shī biǎo yáng nǐ le
说："小牙，你们魏老师表扬你了。"

　　á　　zhè bù kě néng ba　　wǒ jiǎn zhí bù gǎn xiāng xìn
　　"啊？这不可能吧。"我简直不敢相信

zì jǐ de ěr duo
自己的耳朵。

"你们魏老师说你很乐于帮助同学，还主动把自己的座位让给别人。"

呵呵呵……想不到魏老师不但没说我的坏话，居然还表扬了我。看来是我错怪她了。

我赶快问道："爸爸，魏老师还说我什么了？"

这时，爸爸的脸突然严肃起来："还说你喜欢帮助同学说谎。"

啊？我就说魏老师肯定说我坏话了。

爸爸生气地说："姜小牙，你怎么能说谎呢？你爸爸是个生意人，生意人最重要的就是讲诚信。"

我委屈地说:"爸爸,我只是为了帮助铁头。铁头他爸爸可凶了,他要是知道铁头没写作业,说不定会揍铁头一顿呢。"

爸爸,我下次一定写作业。

"原来是这样啊,看来你还是很讲义气的嘛。"

"那当然。"

爸爸突然大发雷霆:"讲义气就可以说谎吗?难道你说谎我就不会揍你一

顿吗？”

我赶快承认错误：“爸爸，我错了，我再也不敢了。”

这时，爸爸向我走过来，我转身就跑。可是没跑掉，呜呜，爸爸一把抓到了我的胳膊。

我大喊道：“爸爸，不要打我！救命啊！”

“喊什么，谁说我要打你了。”爸爸把我拽到沙发上，让我坐好，给我讲起了他小时候的事。

爸爸上小学的时候是个很调皮的小孩儿，最喜欢的就是四驱车玩具。可是爸

爸 的 爸 爸 , 也 就 是 我 的 爷 爷 不 给 他 买 。

正 巧 这 一 天 学 校 要 收 二 百 二 十 元 学 费 。 爸 爸 拿 着 钱 , 经 过 玩 具 店 的 时 候 实 在 忍 不 住 , 就 用 二 十 元 买 了 一 辆 他 心 爱 的 四 驱 车 。 没 钱 交 学 费 的 爸 爸 只 好 回 家 向 爷 爷 要 钱 。

爷 爷 问 道 : " 早 上 不 是 给 过 你 钱 了 吗 ? "

爸爸装作很伤心的样子，说："上学的时候，我被流氓抢走了二十元。"

想不到爷爷大发雷霆："姜大牙，你见过只抢二十元钱的流氓吗？"

说完，爷爷把爸爸的屁股打肿了。

呵呵呵……爸爸可真笨，流氓肯定会把二百二十元都抢走，怎么可能只抢二十元呢？

爸爸说："姜小牙，这不是重点。"

我说："重点是你的屁股开花了？"

爸爸说："这也不是重点，重点是从那天起，我就再也没说过谎。如果不是当初你爷爷打了我一顿，我可能会说越来越多的谎，现在就没有人愿意跟我做生意了。"

我害怕地问："爸爸，所以你也想打我的屁股，对吗？"

爸爸回答："现在时代不同了，爸爸不会随便打你，你也不可以再说谎，知道吗？"

我向爸爸发誓，我再也不说谎了。

我绝对不说谎。

我绝对不打你。

今天，我和米小圈很早就来到学校了。我们要检查一下铁头的作业，如果铁头又忘记写，趁老师没来的时候补上还来得及。

可是铁头迟迟没有来。

等啊盼哪，铁头终于来了。我和米小圈赶快跑到铁头面前。

"铁头，你昨天的作业写了吗？"

铁头惊讶地说："啊？昨天又留作业了？"

米小圈说："什么？你又没写作业？就因为你我被我妈妈批评了一顿。"

我补充道："批评一顿算什么，我差

diǎn er bèi wǒ bà ba zòu yí dùn
点儿被我爸爸揍一顿。"

tiě tóu dé yì de ná chū zuò yè běn　dà shēng shuō dào
铁头得意地拿出作业本，大声说道：

fàng xīn ba　wǒ dōu xiě wán le
"放心吧，我都写完了。"

jiù zài tiě tóu dé yì de shí hou　tā de tóng zhuō hǎo jìng
就在铁头得意的时候，他的同桌郝静

bēi zhe shū bāo zǒu jìn le jiào shì
背着书包走进了教室。

tiě tóu gǎn kuài duì tóng zhuō shuō　hǎo jìng　xiè xie nǐ
铁头赶快对同桌说："郝静，谢谢你，

yào bú shì nǐ　wǒ de zuò yè zhēn de jiù wàng jì xiě le
要不是你，我的作业真的就忘记写了。"

yuán lái　tiě tóu huí jiā hòu　zhèng zhǔn bèi xiě zuò
原来，铁头回家后，正准备写作

业，电视机里就演起了动画片。铁头一看见动画片就把写作业的事忘了个一干二净。

这时，铁头妈妈突然接到了郝静的电话，郝静叮嘱铁头妈妈，今天老师留了很多作业，铁头千万不要再忘记写作业了。

阿姨，铁头今天的作业写完了吗？

铁头，你心可真够大的。被老师臭骂了一顿，还能忘记写作业？真了不起。

上课的铃声响了起来，魏老师走上了讲台。

铁头赶快举手："报告魏老师，我昨天的作业全都完成了。"

魏老师说道："这很好，邢铁，坐下吧。"

魏老师拿出一张成绩单，这上面是我们上周小测验的成绩。

我们班最聪明的车驰非常厉害，三科成绩都得了一百分。比车驰更厉害的就要数铁头了，三科成绩加起来正好得了一百分。

铁头一听到自己的成绩就大哭起来，

rèn píng wèi lǎo shī zěn me quàn shuō dōu bù guǎn yòng
任凭魏老师怎么劝说都不管用。

tiě tóu biān kū biān shuō　　wǒ tài bèn le　gēn běn xué bù
铁头边哭边说："我太笨了，根本学不

hǎo　wū wū
好！呜呜……"

zhè shí　hǎo jìng jǔ qǐ shǒu lái　shuō dào　lǎo shī
这时，郝静举起手来，说道："老师，

ràng wǒ lái bāng zhù xíng tiě ba
让我来帮助邢铁吧。"

tiě tóu yì tīng　tū rán bù kū le　wèn dào　hǎo jìng
铁头一听，突然不哭了，问道："郝静，

nǐ zhēn de yuàn yì bāng zhù wǒ ma
你真的愿意帮助我吗？"

hǎo jìng diǎn le diǎn tóu　shuō　dāng rán shì zhēn de
郝静点了点头，说："当然是真的。"

074

铁头擦了擦眼泪，说："嘻嘻，你真是我的好同桌。谢谢你。"

哼！郝静太偏心了。想当初，她跟我同桌的时候，从来就不愿意帮助我。

爱跳皮筋儿的铁头

11月14日 星期五

自从郝静答应帮助铁头以后，铁头就对自己的同桌格外好，甚至言听计从。

郝静让他往东，他绝不往西。郝静让他追狗，他绝不撵鸡。郝静让他学习，他绝对不跟我们一起玩游戏。

哼！铁头对郝静，比对我还要好呢。

米小圈说："姜小牙，你才认识铁头

076

^{jǐ tiān na} ^{wǒ dōu rèn shi tā hǎo jǐ nián le} ^{tā dōu méi zhè me}
几天哪，我都认识他好几年了，他都没这么

^{tīng huà guo}
听话过。"

^{chī wán wǔ fàn} ^{wǒ hé mǐ xiǎo quān zǒu dào tiě tóu miàn}
吃完午饭，我和米小圈走到铁头面

^{qián duì tā shuō} ^{tiě tóu} ^{wǒ men yì qǐ qù tī zú qiú ba}
前，对他说："铁头，我们一起去踢足球吧。"

077

tiě tóu gāo xìng de shuō　　　hǎo wa hǎo wa
铁头高兴地说："好哇好哇！"

zhè shí　　hǎo jìng hé lǐ lí yě zǒu guò lái　　duì tiě tóu
这时，郝静和李黎也走过来，对铁头

shuō　　tiě tóu　wǒ men yì qǐ qù tiào pí jīn er ba
说："铁头，我们一起去跳皮筋儿吧。"

tiě tóu sì hū gèng gāo xìng de shuō　　　hǎo wa hǎo wa
铁头似乎更高兴地说："好哇好哇！"

　tiě tóu　　nǐ bú shì gāng gāng dā ying wǒ men qù tī zú
"铁头，你不是刚刚答应我们去踢足

qiú ma
球吗？"

tiě tóu náo le náo tóu　　wéi nán de shuō　　kě shì wǒ gèng
铁头挠了挠头，为难地说："可是我更

xiǎng qù tiào pí jīn er　　mǐ xiǎo quān　jiāng xiǎo yá　yào bù wǒ
想去跳皮筋儿。米小圈，姜小牙，要不我

铁头，我们
去踢足球吧。

铁头，我们去
跳皮筋儿吧。

们一起去跳皮筋儿吧。"

米小圈第一个站出来反对："我才不跳皮筋儿呢。"

我第二个站出来反对："没错！跳皮筋儿是女孩儿的运动，我们是男子汉，就要玩点儿男人的运动。"

铁头说："既然是这样，那好吧。郝静，我们一起去跳皮筋儿。"

铁头跟郝静她们走了，呜呜，抛弃了我和米小圈。

我和米小圈在操场上踢起了足球。

铁头正在一旁欢快地跳着皮筋儿。

我对米小圈说："米小圈，你看铁头跳

皮筋儿多高兴，不如我们也去跳皮筋儿吧。"

米小圈立刻生气了："姜小牙，你这个人怎么能出尔反尔呢？说好要一起踢足球的。"

我说："可是两个人踢足球一点儿意思都没有。"

米小圈立刻想到了一个有意思的事："好吧，我们也去跳皮筋儿，不过不是跳，是给他们捣捣乱。"

米小圈可真够坏的，不过我猜这一定很好玩。

我们俩向铁头冲去："铁头，我们也来跳皮筋儿了。"

李黎说："米小圈，你不是说不玩女孩子的运动吗？"

米小圈笑嘻嘻地回答："偶尔玩一下也没关系嘛。"

铁头对李黎说："李黎，你就让米小圈和姜小牙一起玩吧。"

李黎说："不行！除非米小圈大喊三遍'我是一个女孩儿'。"

哈哈哈，米小圈的这个同桌李黎，就喜欢欺负米小圈。

米小圈没有办法，只好大喊道："我是一个女孩儿，我是一个女孩儿，我是一个女孩儿。"

mǐ xiǎo quān hǎn wán le　　　lǐ lí duì wǒ shuō dào　　　jiāng
米 小 圈 喊 完 了 ，李 黎 对 我 说 道 ：“姜

xiǎo yá　　zhè huí lún dào nǐ le
小 牙 ，这 回 轮 到 你 了 。”

á　　xiǎng bu dào lǐ lí bù guāng duì tóng zhuō kē kè
啊 ？ 想 不 到 李 黎 不 光 对 同 桌 苛 刻 ，

duì wǒ yě shì rú cǐ
对 我 也 是 如 此 。

wǒ dà hǎn dào　　　wǒ gēn mǐ xiǎo quān yí yàng　　wǒ gēn mǐ
我 大 喊 道 ：“我 跟 米 小 圈 一 样 ，我 跟 米

xiǎo quān yí yàng　　wǒ gēn mǐ xiǎo quān yí yàng
小 圈 一 样 ，我 跟 米 小 圈 一 样 。”

lǐ lí miǎn qiǎng tóng yì ràng wǒ yě jiā rù tiào pí jīn er
李 黎 勉 强 同 意 让 我 也 加 入 跳 皮 筋 儿

de duì wu　　　kě shì lǐ lí bìng bú ràng wǒ hé mǐ xiǎo quān tiào
的 队 伍 。可 是 李 黎 并 不 让 我 和 米 小 圈 跳皮筋儿，而是把皮筋儿绑在我们的腿上，让我们看着她们跳，真是的。

这时，李黎正往皮筋儿里跳的时候，米小圈一动腿，李黎没跳进去。李黎又一跳，米小圈又一动腿，还是没跳进去。

这可把米小圈乐坏了。

李黎生气地大喊："铁头，有人欺负女同学了。"

铁头赶快走到米小圈面前："哼！米小圈，你太过分了，总是欺负女同学。"

米小圈说："铁头，你怎么能帮着别人呢，我们可是好朋友三人组哇。"

铁头说："谁欺负人我就帮着谁，不对！谁欺负人我就和他一起欺负人，也不对！谁欺负人我就再也不理他了。"

结果，我和米小圈被铁头赶走了。

我们和铁头的友谊就这样结束了。

周末不愉快

11月15日 星期六

zuó tiān wǎn shang wǒ bǎ tiě tóu bāng zhe nǚ shēng bǎ wǒ
昨天晚上，我把铁头帮着女生把我

men gǎn zǒu le de shì jiǎng gěi bà ba tīng bà ba bú dàn méi yǒu
们赶走了的事讲给爸爸听。爸爸不但没有

pī píng tiě tóu fǎn ér cóng zhè jiàn shì zhōng tīng chū lái nǚ shēng
批评铁头，反而从这件事中听出来，女生

zài tiào pí jīn er ér wǒ men zài yì páng dǎo luàn
在跳皮筋儿，而我们在一旁捣乱。

bà ba yán sù de shuō jiāng xiǎo yá nǐ jì zhù yǒng
爸爸严肃地说："姜小牙，你记住永

yuǎn bù xǔ qī fu nǚ shēng
远不许欺负女生。"

wèi shén me ne wǒ wèn dào
"为什么呢？"我问道。

bà ba yòu yí cì jiǎng qǐ le tā xiǎo shí hou de shì
爸爸又一次讲起了他小时候的事。

“想当年，我还是一名小学生的时候，有一天，我的同桌买了一瓶可乐，我偷偷在同桌的可乐瓶上扎了一个小孔。”

我问道：“结果呢？”

“结果我同桌在喝可乐的时候，可乐顺着小孔喷了出来，喷得她满身都是。”

“爸爸，我是问你的结果，不是你同桌的结果。”

爸爸说到这里眼睛湿润了：“我的同桌是班级最高最胖的女生，你说能有什么好的结果。我被她按在地上，痛扁了一顿。”

哈哈哈……

这时，妈妈走过来，说道："活该！"

爸爸接着说道："最可气的是，我把同桌打我的事告诉了老师。老师认为是我先捉弄人的，又把这件事告诉给了你的爷爷。结果你爷爷把我按在床上……"

我抢着说道："这个结果我知道了，你又被痛扁了一顿，对不对？"

"没错。通过这件事让我明白了：第一，不要欺负比你强壮的女生，她们会痛扁你一顿。第二，不要欺负比你弱小的女生，她们会哭着告诉老师，让老师痛扁你一顿。第三，绝对绝对不能主动告诉老师，老师会告诉你的爸爸，让他痛扁你一顿。"

"哈哈哈，那我可以欺负什么样的女生？"

妈妈说道："什么样的女生都不可以欺负，因为女生是应该被呵护的。"

爸爸补充道："没错！欺负女生绝不是男子汉所为。"

从今天开始，我不允许任何人欺负女生。

铁头，你真是一个男子汉！

你是全班男生的好榜样！

好吧，我觉得爸爸说得有道理。

妈妈说："姜小牙，铁头喜欢跟女生玩这并没有什么错呀，而且我觉得你也应该多跟女生一起玩。对了，你现在就去找铁头，向他承认错误。"

还不等我说话，妈妈就把我推出家门。

我觉得吧，跟女生玩这件事要慎重，我先去找米小圈。

我刚到米小圈家，就看见米小圈走了出来。原来他妈妈也觉得是他不对，让他去找铁头玩。

我们俩一起向铁头家走去。

^{kě shì dào le tiě tóu jiā   tiě tóu mā ma què shuō tiě tóu}
可是到了铁头家，铁头妈妈却说铁头

^{qù cān jiā tóng zhuō hǎo jìng de shēng rì jù huì le   zhēn shi}
去参加同桌郝静的生日聚会了。真是

^{de   hǎo jìng guò shēng rì jū rán méi yǒu yāo qǐng wǒ zhè ge lǎo}
的，郝静过生日居然没有邀请我这个老

^{tóng zhuō}
同桌。

^{tiě tóu bú zài jiā   wǒ hé mǐ xiǎo quān zhǐ hǎo lái dào gōng}
铁头不在家，我和米小圈只好来到公

^{yuán wán}
园玩。

^{wǒ men wán le yí huì er qiū qiān   jué de méi yǒu shén me}
我们玩了一会儿秋千，觉得没有什么

^{yì si}
意思。

我提议："米小圈，我们来玩旋转木马吧，我来当你的木马。"

米小圈说："姜小牙，你当我傻呀，你转晕了我可就要倒霉了。"

可是我们该玩点儿什么呢？要是铁头在就好了，他一定会发明出一个好玩的新游戏来。

米小圈说："姜小牙，我们不能失去铁头这个好朋友，我们应该从女生手里把铁头抢回来。"

我觉得米小圈说得很有道理。可是要怎么抢呢？

米小圈说："我们就投其所好，铁头

xǐ huan shén me wǒ men jiù gěi tā shén me
喜 欢 什 么 我 们 就 给 他 什 么 。"

hǎo　　jiù zhè me bàn
"好 , 就 这 么 办!"

要把铁头夺回来

11月17日　星期一

今天，我来到学校的时候，铁头正在给女生讲笑话。可是铁头从来不会讲笑话呀。

铁头坐在一群女生中间讲道："一天，姜小牙被爸爸揍了一顿，哭着找到了妈妈。姜小牙说：'妈妈，有人打了你儿子，你要替我报仇哇。'妈妈说：'没问题，我这就去帮你打他的儿子。”

哈哈哈，一群女生哈哈大笑。可恶的铁头，居然拿我开玩笑。

我刚要走开，米小圈就赶来了："姜小牙，这个时候，你就不要生气了吧。我们不是说好了吗，要把铁头夺回来。"

谁知铁头又讲道："我还有一个米小圈的笑话。一天，米小圈对爸爸说：'爸爸，爸爸，我是不是傻孩子呀？'爸爸摸着米小圈的头安慰道：'呵呵，傻孩子，你怎么会是傻孩子呢？'"

哈哈哈，一群女生又一次笑了起来，

wǒ yě xiào le qǐ lái
我也笑了起来。

　　　　hng　　tiě tóu tài guò fèn le　　mǐ xiǎo quān bǐ wǒ gāng
"哼！铁头太过分了！"米小圈比我刚

cái hái shēng qì ne
才还生气呢。

　　　wǒ gǎn kuài ān wèi dào　　mǐ xiǎo quān　　nǐ bú shì shuō wǒ
我赶快安慰道："米小圈，你不是说我

men bù shēng qì ma　　wǒ men yào bǎ tiě tóu duó huí lái
们不生气吗？我们要把铁头夺回来。"

　　　ò　　wǒ chà diǎn er bǎ zhèng shì wàng le
"哦，我差点儿把正事忘了。"

　　　wǒ men lái dào tiě tóu shēn biān　　nǚ shēng men xiào zhe pǎo
我们来到铁头身边，女生们笑着跑

kāi le
开了。

铁头或许觉得自己太过分了，害羞起来。

铁头说："姜小牙，米小圈，你们不会是生气了吧？这只是在讲笑话。"

我装作若无其事地说："怎么会呢。铁头，现在距离上课还有十五分钟，不如我们一起去玩你最喜欢的滑板吧。"

铁头说："可是我现在不喜欢玩滑板了。我更喜欢……"

米小圈一下子从书包里掏出皮筋儿，对铁头说："你最喜欢跳皮筋儿对不对？我们一起去跳吧。"

"啊？你们会跳吗？"铁头投来十分怀疑的目光。

"当然会呀。"

铁头转头对同桌郝静说："郝静，我们一起去跳皮筋儿好不好？"

"不好！一会儿就要上课了，我要预习一下今天的课。"

铁头把头转过来，对我们说："米小圈，你们去玩吧，我要预习一下今天的课。"

哼！就知道铁头不是喜欢跳皮筋儿，他是喜欢跟女生一起玩。

跳皮筋儿的诱惑失败后，我和米小圈并没有放弃。

wǒ bǎ bà ba xīn gěi wǒ mǎi de màn huà shū ná dào tiě tóu
我 把 爸 爸 新 给 我 买 的 漫 画 书 拿 到 铁 头

miàn qián　　tiě tóu　　rú guǒ nǐ yǐ hòu gēn wǒ men wán　　wǒ jiù
面 前："铁 头，如 果 你 以 后 跟 我 们 玩，我 就

bǎ zhè xiē màn huà
把 这 些 漫 画 ……"

sòng gěi wǒ　　tiě tóu xīng fèn de shuō
"送 给 我？"铁 头 兴 奋 地 说。

“当然不是，是借给你看。”

铁头说：“那快借给我吧。”

我说：“你要跟我和米小圈一起玩，我才会借给你。”

铁头说：“我们可是好朋友三人组哇，我怎么会不跟你们一起玩呢？快拿来让我看看。”

这时，郝静却说：“姜小牙，看这些漫画书一点儿意义都没有。”

我生气地说：“哼！郝静，不要你管。”

郝静没有理我，继续对铁头说：“铁头，你是我的好同桌吗？”

"是呀！是呀！"

"好同桌是不可以看这种没有意义的漫画书的，我家里有一本世界名著《一千零一夜》，我把它……"

"送给我？"铁头再次兴奋地说。

郝静说："是借给你。《一千零一夜》里有很多好玩的故事，例如阿拉丁神灯的故事。"

最终铁头做出了决定，不看漫画书了，要看有意义的世界名著。

呜呜，漫画诱惑再次失败。

我和米小圈都失败了，看来只有使出我们最后的绝招了。铁头这辈子最喜欢

de shì jiù shì chī wǒ men bǎ dōu li suǒ yǒu de qián dōu ná le
的 事 就 是 吃 ， 我 们 把 兜 里 所 有 的 钱 都 拿 了

chū lái mǎi le yí dà duī hǎo chī de zǒu dào tiě tóu miàn qián
出 来 ， 买 了 一 大 堆 好 吃 的 ， 走 到 铁 头 面 前

chī le qǐ lái
吃 了 起 来 。

tiě tóu yí kàn jiàn líng shí gǎn jǐn còu guò lái shuō jiāng
铁 头 一 看 见 零 食 赶 紧 凑 过 来 ， 说 ： " 姜

102

小牙，我们是好朋友三人组，说好了有零食要一起分享的。"

我说："分享零食没问题，但你要答应我们不跟女生一起玩。"

铁头有点儿为难地挠挠头。

米小圈补充道："只要你答应我们，这些零食就都是你的了。"

铁头说："好吧！我答应你们，你们把零食送给我，我不跟女生一起玩。"

我们成功了耶！看来还是美食的诱惑大。

铁头吃起了零食，郝静在一旁说："铁头，我妈妈说小孩子不能吃太多的零食，

duì shēn tǐ bù hǎo
对身体不好。”

kě tiě tóu gēn méi tīng jiàn shì de
可铁头跟没听见似的。

女生联盟

11月18日　星期二

我们终于把铁头夺回来了，我和米小圈都很高兴。今天我还特意去铁头家找他一起上学，虽然魏老师并不同意我们一起上学，不过我们今天没有迟到，所以她是不会知道的。

可是我们刚刚来到教室，就看见李黎站在讲台前宣布重大消息。

李黎说："同学们，最近咱们班有几

名男生总是跟女生作对，自己不愿意跟女生一起玩就算了，还不让其他男生跟女生一起玩。所以我决定成立女生联盟，所有女生和喜欢跟女生一起玩的男生都可以加入女生联盟。"

呵呵，李黎可真天真，怎么会有喜欢跟女生玩的男生呢。

不好，还真的有一个。他就是我们的好朋友铁头。

铁头举起双手大声说道："我要加入女生联盟。"

米小圈阻止道："铁头，你昨天不还说再也不跟女生一起玩了吗？"

wǒ bǔ chōng dào　　méi cuò　　tiě tóu　nǐ chī le wǒ men
我补充道：“没错！铁头，你吃了我们

de líng shí jiù yīng gāi shuō huà suàn huà
的零食就应该说话算话。”

tiě tóu shēng qì de shuō　　nǐ men hái shuō ne　jiù shì
铁头生气地说：“你们还说呢，就是

yīn wèi chī le nǐ men gěi wǒ mǎi de líng shí　zuó wǎn wǒ dōu nào
因为吃了你们给我买的零食，昨晚我都闹

dù zi le　　wǒ mā ma zài yě bú ràng wǒ chī líng shí le　　suǒ
肚子了，我妈妈再也不让我吃零食了。所

yǐ wǒ yào jiā rù nǚ shēng lián méng
以我要加入女生联盟。”

hng　tiě tóu zhè ge rén yì diǎn er dōu bù jiǎng xìn yòng
哼！铁头这个人一点儿都不讲信用。

mǐ xiǎo quān qiāo qiāo duì wǒ shuō　　jiāng xiǎo yá　bú yào
米小圈悄悄对我说：“姜小牙，不要

107

lǐ tiě tóu le   wǒ men qù dòng yuán dà jiā chéng lì nán shēng
理 铁 头 了，我 们 去 动 员 大 家 成 立 男 生

lián méng
联 盟 。"

hǎo   wǒ men fēn tóu xíng dòng
"好！我 们 分 头 行 动 。"

wǒ lái dào chē chí miàn qián   shuō dào   chē chí   wǒ men
我 来 到 车 驰 面 前，说 道："车 驰，我 们

chéng lì le yí gè nán shēng lián méng   nǐ jiā rù hǎo bù hǎo
成 立 了 一 个 男 生 联 盟，你 加 入 好 不 好？"

chē chí shuō   jiāng xiǎo yá   bù hǎo yì si   lǐ lí shuō
车 驰 说："姜 小 牙，不 好 意 思，李 黎 说

nǚ shēng lián méng měi zhōu mò huì zǔ zhī yí cì tú shū fēn xiǎng
女 生 联 盟 每 周 末 会 组 织 一 次 图 书 分 享

huì   měi gè rén dōu huì bǎ zì jǐ zuì xǐ huan de shū ná lái hé
会，每 个 人 都 会 把 自 己 最 喜 欢 的 书 拿 来 和

108

大家分享，这样我就可以看好多好多书啦，所以我已经同意加入女生联盟了。"

我赶快说道："我家里也有好多好多书哇，你可以随便看。"

车驰问道："我喜欢看《大百科全书》，你家有吗？"

"没有！我家里全是漫画书，你想看吗？"

"我从不看漫画书，我还是去加入女生联盟吧。"

我走到米小圈面前，把我失败的坏消息告诉给他。

米小圈说："姜小牙，这并不算什么

坏消息。更坏的消息是班级的女生正在发动自己的同桌加入。你看！"

一会儿的工夫，全班男生基本上都加入了女生联盟，只有我和米小圈没有加入。

米小圈失落地说："姜小牙，你会不会像铁头一样不讲义气，也加入女生联盟呢？"

wǒ pāi zhe mǐ xiǎo quān de jiān bǎng shuō   mǐ xiǎo quān
我 拍 着 米 小 圈 的 肩 膀 说 ："米 小 圈 ，

wǒ men shì hǎo péng you   wǒ shì jué duì bú huì jiā rù de
我 们 是 好 朋 友 ，我 是 绝 对 不 会 加 入 的 。"

zhè shí   yí gè qīng cuì de shēng yīn chuán jìn le wǒ hé
这 时 ，一 个 清 脆 的 声 音 传 进 了 我 和

mǐ xiǎo quān de ěr duo li
米 小 圈 的 耳 朵 里 。

mǐ xiǎo quān   jiāng xiǎo yá   nǐ men yě jiā rù nǚ shēng
"米 小 圈 ，姜 小 牙 ，你 们 也 加 入 女 生

lián méng hǎo bù hǎo
联 盟 好 不 好 ？"

wǒ men huí tóu yí kàn   shì zhāng yī yī   wǒ men bān zuì
我 们 回 头 一 看 ，是 张 依 依 ，我 们 班 最

piào liang de nǚ shēng
漂 亮 的 女 生 。

米小圈说："哼！我是不会加入女生联盟的。"

张依依问道："那姜小牙呢？如果你们加入，我就让我妈妈做曲奇饼干给你们吃。"

米小圈又说："谁稀罕吃曲奇饼干哪。"

我用很小很小的声音说："我想吃。"

"姜小牙，你说什么？"米小圈似乎听见了。

我鼓起勇气，说道："米小圈，我们一起加入女生联盟吧，还能吃到曲奇饼干呢。"

mǐ xiǎo quān bèi wǒ qì huài le　　dà shēng de shuō　　jiāng
米小圈被我气坏了，大声地说："姜

xiǎo yá　　xiǎng bu dào nǐ hé tiě tóu yí yàng bù jiǎng yì qì　　wǒ
小牙，想不到你和铁头一样不讲义气，我

zài yě bù lǐ nǐ le　　hng
再也不理你了。哼！"

mǐ xiǎo quān shuō wán　　pǎo kāi le
米小圈说完，跑开了。

zhè yí cì　　wǒ dí què hěn bù jiǎng yì qì　　kě shì wǒ
这一次，我的确很不讲义气，可是我

zhēn de hěn xǐ huan chī qū qí bǐng gān na
真的很喜欢吃曲奇饼干哪。

送给加入女生
联盟的姜小牙。

谢谢。

男生跳皮筋儿大赛

11月21日 星期五

已经好几天了，米小圈都不理我和铁头。他一定是伤心极了。

其实女生联盟真的挺好的，我们每天都会把自己喜欢的书带到班级和其他同学分享，下课的时候还可以一起跳皮筋儿，丢沙包。

可不知道为什么，米小圈就是不肯加入。

李黎立下女生联盟的第一条规定就是不能跟联盟以外的同学一起玩。可联盟以外的就只有米小圈一人了,所以没有人再跟他玩了。

谁和我一起玩?

我和铁头商量后决定,退出女生联盟。虽然我有点儿舍不得,铁头非常非常舍不得,可是我以前就一个朋友都没有,我知道这感觉有多难过。

115

米小圈刚刚来到班级，我和铁头就冲了过去。

铁头说道："米小圈，我们决定了……"

米小圈说："等一下，我也决定了……"

我问："米小圈，你决定什么了？"

米小圈说："我决定加入女生联盟。自己一个人玩真是太没意思了，我要跟大家一起玩。"

我和铁头高兴极了。

铁头说："我们也决定了，退出女生联盟，跟你一起玩。"

我赶快捂住铁头的嘴："铁头，你怎么这么笨哪，米小圈决定加入女生联盟了，我们就不用退出了。"

这回轮到米小圈高兴了。

"呵呵呵，真的呀，你们真的决定退出了？太好了，这样我们男生联盟就有三个人了，慢慢地我们就可以把男生都夺回来。"

都是铁头干的好事，明明是米小圈已经同意加入了，这下可倒好。

这时，李黎走上讲台对大家说道："同学们，今天下午第二节没有课，我已经向魏老师申请了，举办一场跳皮筋儿大赛。"

米小圈小声说："哼！又是跳皮筋儿，真无聊。"

李黎接着说："这次跳皮筋儿大赛可不一样，是男生跳皮筋儿大赛。我们女生来做裁判。对了，获得冠军的男生将有一份丰厚的奖品。"

铁头赶快问："是什么奖品哪？"

李黎说："奖品我现在还不能告诉大家，我可以稍微透露一点儿给大家，是我爸爸从美国带回来的一件礼物。"

米小圈赶快站起来，说："李黎，我决定了，加入女生联盟，我要当冠军。"

^{hǎo wa} ^{mǐ xiǎo quān} ^{huān yíng nǐ jiā rù nǚ shēng}
"好哇，米小圈，欢迎你加入女生

^{lián méng} ^{bú guò néng bù néng dāng guàn jūn jiù kàn nǐ de běn}
联盟，不过能不能当冠军就看你的本

^{shì le}
事了。"

这就是给冠军的奖品。

我也要参加。

^{gāng gāng wǒ hái zài fàn chóu shì bú shì zhēn de yào tuì}
刚刚我还在犯愁是不是真的要退

^{chū nǚ shēng lián méng ne} ^{xiàn zài kàn lái yí qiè dōu jiě jué}
出女生联盟呢，现在看来一切都解决

^{le} ^{bú guò kàn yàng zi} ^{mǐ xiǎo quān shì chòng zhe jiǎng}
了。不过看样子，米小圈是冲着奖

^{pǐn qù de} ^{bù xíng} ^{jiǎng pǐn shì wǒ de} ^{wǒ yào dāng}
品去的。不行！奖品是我的，我要当

^{guàn jūn}
冠军。

tiě tóu tiào pí jīn er de shí jiān zuì cháng　　yě tiào de zuì
铁头跳皮筋儿的时间最长，也跳得最

hǎo　　suǒ yǐ mǐ xiǎo quān qǐng tiě tóu dāng tā de jiào liàn　　jiāo tā
好，所以米小圈请铁头当他的教练，教他

tiào pí jīn er　　　　wǒ yě zài yì páng tōu tōu de liàn xí
跳皮筋儿。我也在一旁偷偷地练习。

xià wǔ dì èr jié kè hěn kuài jiù dào le　　dà jiā xiàng cāo
下午第二节课很快就到了。大家向操

chǎng pǎo qù
场跑去。

lǐ lí jiāng nán shēng fēn chéng le　　　　　　　　sì gè
李黎将男生分成了A、B、C、D四个

zǔ　měi gè zǔ fēn bié bǐ sài　　zuì zhōng měi gè zǔ xuǎn chū yì
组，每个组分别比赛，最终每个组选出一

míng tiào de zuì bàng de jìn rù jué sài
名跳得最棒的进入决赛。

wǒ hé tiě tóu dōu fēn dào le　　zǔ　　mǐ xiǎo quān fēn dào

我和铁头都分到了A组，米小圈分到

le　　zǔ

了D组。

tiě tóu zǒu dào wǒ miàn qián　　pāi zhe wǒ de jiān bǎng shuō

铁头走到我面前，拍着我的肩膀说：

xī xī　　jiāng xiǎo yá　　duì bu qǐ le

"嘻嘻，姜小牙，对不起了。"

hng　　shéi yíng hái bù yí dìng ne

哼！谁赢还不一定呢。

wū wū　　zěn me kě néng bù yí dìng ne　　wǒ gēn běn tiào

呜呜，怎么可能不一定呢，我根本跳

bú guò tiě tóu　　cái yì lún wǒ jiù shū gěi le tiě tóu

不过铁头，才一轮我就输给了铁头。

zuì zhōng tiě tóu cóng　　zǔ tuō yǐng ér chū　　jìn rù le jué

最终铁头从A组脱颖而出，进入了决

哈哈，输了吧。

121

赛。没想到米小圈这么厉害，才学了那么一会儿竟然也进入了决赛。

决赛中，铁头又战胜了B组的车驰，米小圈战胜了C组的张爽。

他们俩准备来一场最终的较量。

铁头笑嘻嘻地说："米小圈，我可是你的师父哇，你就认输吧。"

米小圈则说："哼！铁头，你要是输了，可别哭鼻子。"

最终的决赛开始！第一轮打平，第二轮又打平，最终第三轮，哇！米小圈竟然赢了。

突然，铁头蹲在地上号啕大哭起来。

"呜呜呜，我是师父，怎么可能输给米小圈呢。"

比赛结束了，米小圈赶快向李黎要那份从美国带回来的丰厚奖品。

"李黎，快把奖品搬出来吧，我都等不及了。"

李黎说："不用搬出来，就在我的兜里。"

李黎从兜里拿出了奖品，大家看到后都笑趴在了地上。原来是一个粉红色的发卡，哈哈哈，哈哈哈……

当米小圈看见发卡的时候，就预感到要有不好的事情发生。米小圈撒腿就跑，

quán tǐ nán shēng chū dòng　zhuā zhù le mǐ xiǎo quān　bǎ fà qiǎ
全体男生出动，抓住了米小圈，把发卡

dài zài le tā de tóu shang
戴在了他的头上。

bān jiǎng diǎn lǐ jiù zhè yàng jié shù le　hā hā　xìng kuī
颁奖典礼就这样结束了。哈哈，幸亏

wǒ méi dé guàn jūn
我没得冠军。

幸好我没有得冠军。

姜小牙来了！